세상에서 오직 하나뿐인
소중하고 사랑스러운
우리 아가

_______________ 에게

아가야, 잠잘 시간이란다.
이제 잠자리에 들 준비를 해야지.

토끼 인형을 데려오렴.

곰 인형을 데려오렴.

자, 즐겁게 목욕을 해야
보람찬 하루가 되겠지!

까르륵 깔깔 웃으며
텀벙텀벙 신 나는 물놀이를 하자.

위로 싹싹
아래로 싹싹 문지르고

발끝부터 머리까지
뽀드득뽀드득 씻어야지.

보송보송한 수건으로 닦으니

아유, 귀염둥이가 되었네!

자, 이젠 입을 크게 벌리고
치카치카 이를 닦을 차례야.

칫솔을 제자리에 두는 건
혼자서도 참 잘해요.

예쁜 우리 잠꾸러기는
잠옷도 착착 잘 입어요.

자, 그림책을 가져오렴.

오늘은 무슨 이야기일까?

포근포근한 이불을 덮고

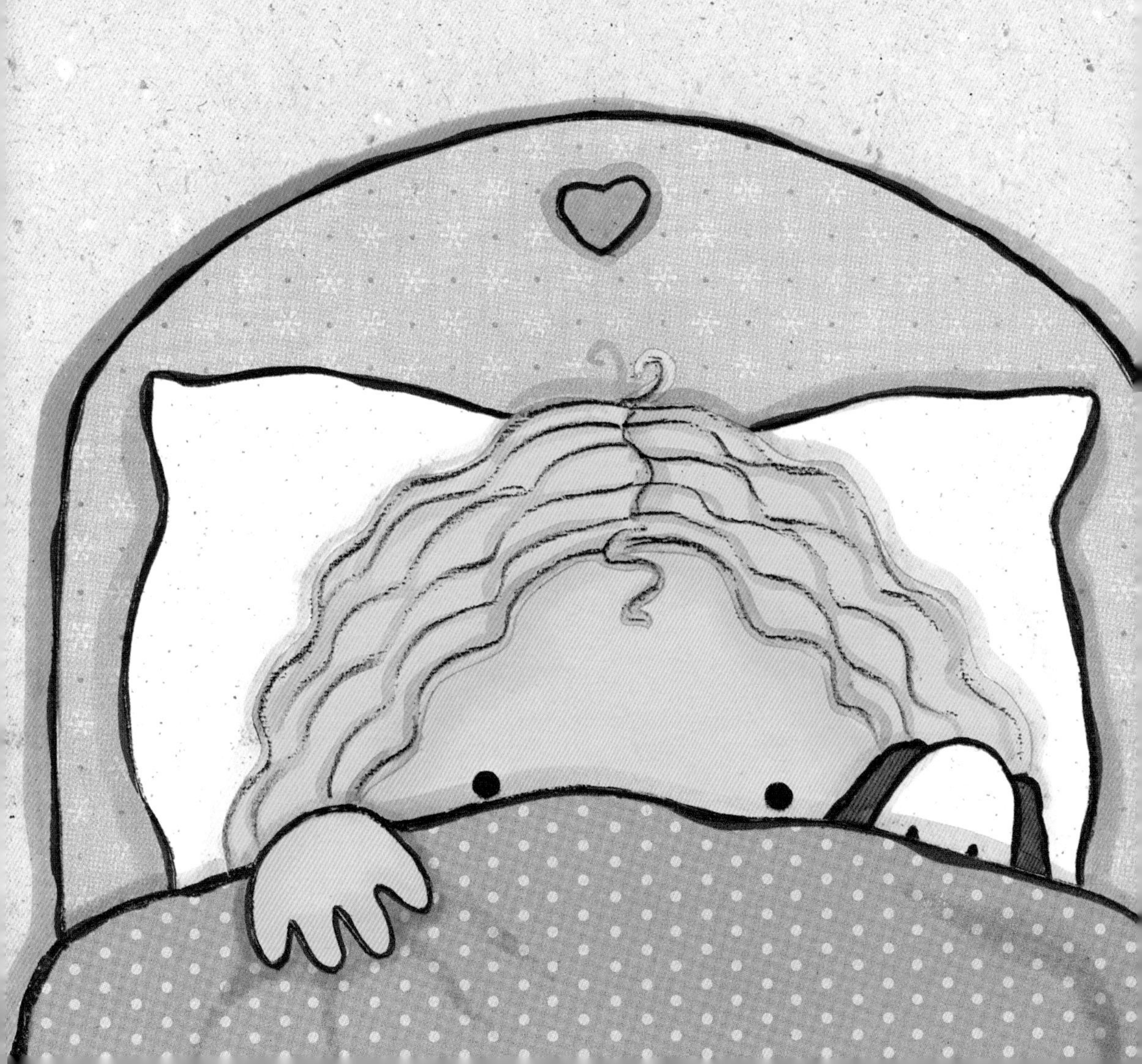

이젠 불을 끌 차례구나.

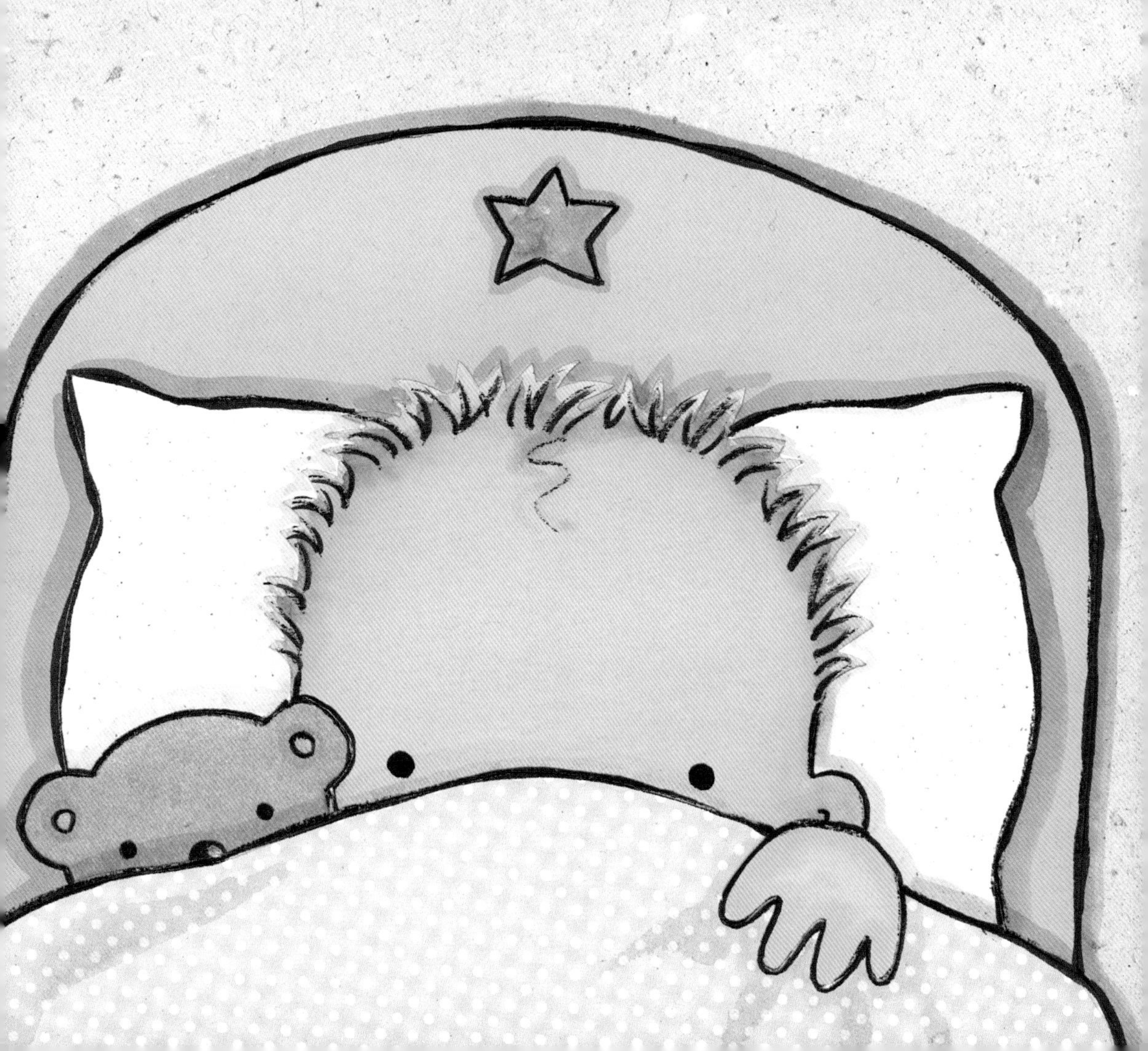

자장자장 잘 자라, 우리 아가.
예쁜 꿈 꾸렴.

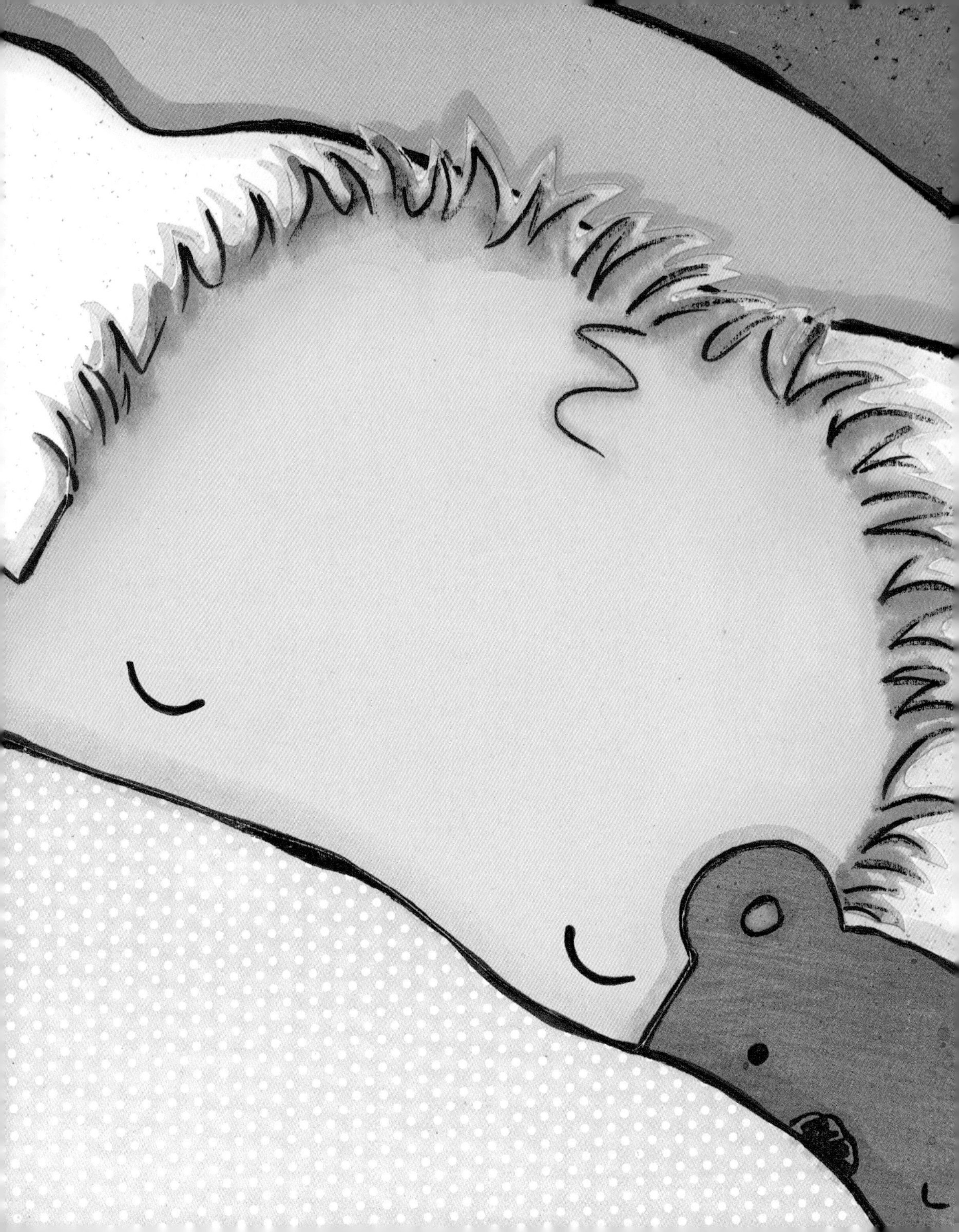

자장자장 잘 자라, 우리 아가.

사랑해, 사랑해,

사랑해.

캐롤라인 제인 처치

영국 옥스퍼드에서 태어나 런던에서 디자인을 공부한 뒤, 20여 년 동안 다양한 일러스트 작업을 하면서 어린이책을 만들어 왔으며, '사우스햄튼 상', '오펜하임 상' 등을 수상했다. 그린 책으로 베스트셀러 그림책 『사랑해 사랑해 사랑해』와 『사랑해 모두모두 사랑해』, 『사랑해 자장자장 사랑해』, 『가랑잎 대소동』, 『넌 사랑받기 위해 태어났단다』, 『친구가 필요해!』 등이 있다.

신형건

1965년 경기도 화성에서 태어났으며 경희대학교 치의학과를 졸업했다. 1984년 '새벗문학상'에 당선되어 문단에 나왔으며, 대한민국문학상 · 한국어린이도서상 · 서덕출문학상 · 윤석중문학상을 받았다. 지은 책으로 동시집 『거인들이 사는 나라』, 『배꼽』, 『엉덩이가 들썩들썩』, 『콜라 마시는 북극곰』, 『입김』, 비평집 『동화책을 먹는 치과의사』 등이 있으며, 옮긴 책으로 『사랑해 사랑해 사랑해』, 『쌍둥이 빌딩 사이를 걸어간 남자』, 『아툭』, 『이름 짓기 좋아하는 할머니』, 『난 동물을 잘 그려요』, 『가랑잎 대소동』, 『사랑해 자장자장 사랑해』 등이 있다.

아기그림책 보물창고 9

사랑해 자장자장 사랑해

초판 1쇄 2012년 11월 20일 | 초판 4쇄 2014년 10월 30일
지은이 캐롤라인 제인 처치 | **옮긴이** 신형건 | **펴낸이** 신형건 | **펴낸곳** (주)푸른책들 | **등록** 제321-2008-00155호
주소 서울특별시 서초구 양재천로7길 16 푸르니빌딩 (우)137-891 | **전화** 02-581-0334~5 | **팩스** 02-582-0648
이메일 prooni@prooni.com | **홈페이지** www.prooni.com | **카페** cafe.naver.com/prbm | **블로그** blog.naver.com/proonibook
ISBN 978-89-6170-299-7 77840 ＊잘못된 책은 구입한 곳에서 바꾸어 드립니다.

이 도서의 국립중앙도서관 출판시도서목록(CIP)은 서지정보유통지원시스템 홈페이지(http://seoji.nl.go.kr)와 국가자료공동목록시스템(http://www.nl.go.kr/kolisnet)에서 이용하실 수 있습니다.(CIP제어번호: CIP2012004426)

보물창고는 (주)푸른책들의 유아, 어린이, 청소년 도서 전문 임프린트입니다.
＊책을 던지거나 떨어뜨리거나, 종이에 베이거나 긁히지 않도록 주의하세요. 특히, 3세 이하의 아이는 부모님의 관리가 필요합니다.